DEWI GREAT

Cyhoeddwyd yn 2020 gan
Wasg Gomer, Llandysul, Ceredigion SA44 4JL
www.gomer.co.uk

ISBN: 978-1-78562-322-6

Cyhoeddir gyda chymorth ariannol
Cyngor Llyfrau Cymru.

Argraffwyd a rhwymwyd yng Nghymru gan
Wasg Gomer, Llandysul, Ceredigion.

Dewin y Gaeaf

Graham Howells

Gomer

Chwibanai gwynt oer o amgylch bwthyn y Bwbach, gan lusgo mwg y corn simdde i fyny i dywyllwch y bore. Roedd sŵn y cenllysg yn taro'r to yn fiwsig i glustiau'r creadur bach rhyfedd. Mae pob bwbach yn perthyn i'r tŷ mae'n gofalu amdano, ac ers dwy ganrif a hanner roedd e wedi caru holl synau ei fwthyn.

Eisteddai'r Bwbach o flaen y tân gyda hen awrwydr yn ei ddwylo – teclyn oedd yn defnyddio tywod i ddangos amser yn mynd heibio. Roedd hwn wedi'i addurno gyda gemau gwerthfawr a siapiau dreigiau yn dringo drosto. Yng ngolau'r tân, astudiodd y Bwbach y teclyn yn ofalus. Y bore hwnnw, ychydig cyn y wawr, roedd yr awrwydr wedi ymddangos ar y bwrdd gyda sŵn POP, felly roedd hi'n amlwg ei fod yn hudol.

Ond wrth syllu arno, roedd y Bwbach yn poeni fwy a mwy. Nid yn unig roedd y tywod yn llifo o waelod yr awrwydr i'r top, ond doedd lefel y tywod byth yn newid yn yr un o'r ddwy ran.

Wrth i'r haul godi, daliai'r Bwbach i syllu ar y teclyn rhyfedd, yn y gobaith y byddai pethau'n dod yn glir. Y tu allan, gostegodd y gwyntoedd gwyllt, dechreuodd eira ddisgyn, ac wrth i olau'r bore daro'i ffenest, trawodd rhywbeth y Bwbach hefyd.

'O diar,' meddai.

Doedd e ddim am gyfaddef hyn, ond roedd e'n gwybod yn iawn bod amser yn drysu a bod pŵer hud hynod o gryf ar ei ffordd. Rhybudd ydy'r awrwydr, meddyliodd y Bwbach; heddiw oedd diwrnod byrraf y flwyddyn pan fyddai edau amser wedi'i thynnu i'r pen. Mae'n rhaid mai neges iddo baratoi ei hun am yr hyn oedd yn dod oedd yr awrwydr, ond doedd ganddo ddim syniad mwnci beth fyddai hynny.

Cafodd ei ddychryn gan gnoc ar y drws. Roedd hi'n rhy gynnar i neb alw. Atebodd y drws ac yno yn yr eira roedd ei ffrind gorau Mari, a hen ddynes fach garedig yr olwg. Anghofiodd y Bwbach bob dim am yr awrwydr pan welodd y ferch fach.

Yn wreiddiol, yn y gogledd roedd bwthyn y Bwbach, lle bu'n byw'n hapus am ganrifoedd. Ond un diwrnod, diflannodd y bwthyn, gan ei adael yn ddigalon ac yn ddigartref. Pan deithiodd i'r de i chwilio amdano, daeth ar draws Mari yn ei hysgol. Hi oedd wedi'i helpu i ddod o hyd i'r bwthyn yng nghanol Tai Bythol Ffagan, ac roedd hi wedi dod i'w weld yn gyson gyda'i ffrindiau ers hynny. Roedd e wastad yn falch o'i gweld hi.

'Mr Bwbach!' bloeddiodd Mari'n hapus, a chwtsio'i

hen ffrind yn dynn. 'Dw i wedi dod â Mam-gu i'ch gweld chi!' meddai wedyn gan dynnu'r ddynes fach i mewn i'r bwthyn ar ei hôl.

'Falch iawn i gwrdd â chi, syr,' meddai Mam-gu, gan ysgwyd ei law bitw fach. Tynnodd Mari ei sach fechan oddi ar ei chefn. Roedd hi wedi dysgu mai hoff beth y Bwbach yn y byd yn grwn oedd llaeth. Tynnodd garton o laeth hanner sgim o'r sach a'i roi i Mam-gu, ac ymgrymodd honno cyn ei gynnig i'r Bwbach.

'Diolch,' sibrydodd gan syllu ar y carton hardd. 'Eisteddwch, da chi,' meddai gan bwyntio at gadeiriau pren ger y ffenest.

'Mae Mam-gu yn byw yn agos a dw i'n aros gyda hi dros y Nadolig, Mr Bwbach,' eglurodd Mari yn wên o glust i glust, 'felly alla i ddod i'ch gweld chi'n aml! Ond fe fydda i'n mynd i weld fy nghefnder Ethan hefyd. Mae e yn yr ysbyty. Dydy e ddim wedi bod yn dda,' meddai yn fwy difrifol, a gallai'r Bwbach weld y pryder yn wyneb ei ffrind.

'Paid â phoeni nawr, Mari,' meddai Mam-gu, 'Ry'n ni wedi dod i weld Mr Bwbach er mwyn ein hatgoffa o'r hud sydd yn y byd.'

Goleuodd wyneb Mari a throdd at y bwbach bach.

'Byddai Ethan wrth ei fodd yn cwrdd â chi. Efallai y gallech chi ddod gyda ni,' meddai Mari.

'Mi fyddwn i wrth fy modd yn ei gyfarfod ond rhaid i mi ofalu am fy mwthyn heddiw,' meddai'r Bwbach, gan edrych yn llawn gofid ar yr awrwydr.

'Dw i'n deall,' meddai Mari. 'Fe ddwedwn ni wrth Ethan amdanoch chi. Bydd hynny'n codi ei galon.'

Teimlodd y Bwbach WHWWSH sydyn, cynnes, a chan ei fod mor sensitif i bob dim sydd y tu hwnt i'n deall ni, bu bron iddo gael ei daro i'r llawr. Roedd y don lachar o egni wedi dod allan o Mari, a gwyddai'r

Bwbach mai pŵer ei chariad at ei chefnder oedd yn gyfrifol. Gallai weld yr egni'n clecian yn ffyrnig yn yr awyr ac roedd y Bwbach wedi'i syfrdanu.

Edrychodd ar Mari yn llawn edmygedd a thywallt llond gwydraid o laeth i bawb. Gwrandawodd yn hapus ar y tân yn clecian a Mam-gu a Mari yn sgwrsio'n braf.

Yng nghornel y bwthyn disgynnodd tywod yr awrwydr am i fyny.

Ar ynys fechan yn y gogledd, ganrifoedd cyn i'r awrwydr gyrraedd bwthyn y Bwbach, safai hen ŵr blin yn cwyno ac achwyn a chonan. Doedd y Bwbach ddim yn gwybod am hyn eto, ond yno y dechreuodd y drafferth gydag amser, ar nos Sadwrn oer o Ragfyr, 599 AD, flewyn cyn hanner nos.

Chwifiai locsyn hir a chlogyn coch hirach yr hen ŵr yn yr awel gref o'r môr, a rhoddodd ei law ar ei ben i rwystro ei het rhag hedfan i ffwrdd. Yn ei law arall roedd ffon hir, bren.

Dewin oedd yr hen ŵr, ac roedd yn sefyll ar ben twr uchel o wydr oedd yn ymestyn i fyny drwy'r cymylau llwydion. Fel yr oedd wedi'i wneud bob nos ers can mlynedd a mwy, arhosodd y Dewin a chlustfeinio am sŵn sibrwd y Ddraig ar yr awel.

'Mae'n rhy oer i fod tu allan,' meddai'n ddiamynedd, 'rhy wyntog.'

Y Ddraig oedd enaid Prydain; roedd ei hesgyrn fel y creigiau, a'i chennau fel y bryniau a'r caeau. Caneuon, straeon a hud y tir oedd wedi rhoi bywyd iddi, a dim ond y bobl lwcus allai ei gweld hi a deall ei doethineb.

Ar yr awel y byddai llais y Ddraig yn dod ato.

13

Roedd wedi arwain yr hen ddewin ers blynyddoedd maith, ond doedd y Ddraig ddim wedi siarad ag ef ers tro byd. Y tro diwethaf i'r Dewin glywed ei llais, roedd hi wedi dweud wrtho am greu'r tŵr.

Dyna lle roedd y Dewin, ei glogyn amdano, yn stampio'i draed yn yr oerfel ac yn ochneidio i'w hunan pan glywodd y sŵn. Rhyw fwmial meddal, fel sibrwd yn y gwynt. Ai llais y Ddraig oedd e? Ie, yn bendant, meddyliodd y Dewin; roedd y Ddraig yn galw arno o'r diwedd. Roedd y llais wedi teithio o'r mynyddoedd yn y dwyrain, ac ar hyd y fraich hir o dir oedd yn pwyntio tuag at ei ynys fechan. Galwad rhywbeth rhyfeddol a hynafol oedd hon, gan droelli o'i amgylch ar y tŵr uchel.

Gwrandawodd yr hen ŵr ar eiriau'r Ddraig, ei farf yn cyhwfan yn y gwynt, ond y mwya roedd e'n gwrando, y mwya roedd e'n colli amynedd.

'Ai rhyw fath o jôc yw hyn?' gwaeddodd y Dewin ar y llais na allai neb arall ei glywed. 'Byddai gwybod hwnna wedi bod yn ddefnyddiol iawn gan mlynedd yn ôl!' Taranodd i lawr y grisiau gwydr a arweiniai i goridorau gwydr ei dŵr. Daeth y lampau ar y waliau yn fyw wrth iddo basio, ac wedi iddo fynd i mewn i'w ystafell, caeodd y drws yn glep y tu ôl iddo, a'r sŵn yn atsain drwy'r tŵr cyfan.

Roedd y bore trannoeth yn braf a bywiog.

Safai'r hen ddewin ar lethr y bryn y tu allan i'r tŵr. Roedd creadur byr gyda chlustiau pigfain wrth ei ochr: coblyn. Doedd e ddim yn annhebyg i ddyn bychan ond roedd rhywbeth hudol amdano. Colin oedd ei enw, ac ar y foment honno roedd yn gwegian dan bwysau bagiau a bocsys oedd â symbolau hud drostyn nhw i gyd.

Cododd y Dewin ei ffon hir a'i tharo yn erbyn gwaelod y drws gwydr mawr wrth droed y tŵr. 'CLO!' gorchmynnodd yr hen ŵr yn uchel, a chlepiodd bollten fawr haearn i'w lle ar ochr arall y prif ddrws. Roedd mwy o glepian a chloncian i'w glywed wrth i bob drws arall yn y tŵr gloi. Roedd hwn yn hud pwerus.

Cerddodd i lawr y llethr at y traeth, ei glogyn yn cyhwfan y tu ôl iddo, a'r Coblyn wrth ei gwt. Wedi cerdded am sbel, stopiodd, a chan bwyso ar ei ffon, trodd i edrych ar y tŵr am y tro olaf. Roedd wedi byw yno ers dros gan mlynedd a doedd e ddim wedi gadael yr ynys unwaith yn ystod y cyfnod hwnnw.

'Pryd fyddwn ni'n dod yn ôl, meistr?' gofynnodd y Coblyn.

'Byth, os caf i fy ffordd,' brathodd y Dewin.

Roedd y Coblyn wedi dychryn. 'Byth, meistr? Ond be am y Casgliad, TRI THRYSOR AR DDEG PRYDAIN? Os na fyddwch chi yno, pwy fydd yn gwarchod Corn Brân Galed o'r Gogledd, y cwpan hud sy'n creu unrhyw ddiod dan haul, a Basged Fwyd Gwyddno Hirgoes sy'n troi pryd ar gyfer un yn bryd i gannoedd, a …'

'Stopia!' gorchmynnodd y Dewin yn flin.

'A beth am …' aeth Colin yn ei flaen er gwaetha'r gorchymyn, 'gôt Padarn Gotgoch, sy'n ffitio person dewr yn berffaith, ond yn llithro oddi ar berson llwfr, a Chostrel a Dysgl Rhygenydd yr Offeiriad, sy'n creu unrhyw fwyd mae rhywun yn ei ddymuno …'

'Cau dy geg, Colin! Does dim angen eu rhestru nhw bob tro rwyt ti'n sôn amdanyn nhw. Dw i wedi bod yn gwrando arnat ti'n adrodd y rhestr 'na drosodd a throsodd ers dros ganrif. Dyna ddigon!'

'Ond,' meddai Colin yn ddiniwed, 'chi greodd y Tŵr Gwydr rhyfeddol, ac ers yr holl flynyddoedd, chi sydd wedi bod yn gyfrifol am warchod ei gynnwys gwych. Chi gasglodd nhw o feysydd brwydrau a neuaddau brenhinol, a ni sydd wedi bod yn gwylio drostyn nhw ddydd a nos.'

'Wel, heddiw, ni sy'n eu gadael nhw,' meddai'r Dewin gan godi ei law i rwystro unrhyw gega pellach. 'Wyddost ti beth ddywedodd y Ddraig wrtha i neithiwr? Fy sicrhau y bydd y trysorau'n berffaith ddiogel hebof i! Be wyt ti'n feddwl o hwnna? Mae'n ymddangos mai'r cwbl oedd raid i mi ei wneud yr holl flynyddoedd yna yn ôl oedd cloi pob dim a cherdded i ffwrdd, a byddai'r tŵr yn troi'n anweledig!'

Trodd y ddau i edrych ar y Tŵr Gwydr, ac o flaen eu llygaid, diflannodd yn araf nes ei fod yn ddim.

'Gwynt teg ar ei ôl e!' chwyrnodd y Dewin a gwneud sŵn gwynt digon amharchus. Trodd yn ddig, ac anelu am y traeth caregog.

'Mae'n rhaid bod gan y Ddraig reswm da dros eich cadw chi yma gyhyd, meistr,' meddai Colin yn glên wrth drotian ar ei ôl.

Ddywedodd y Dewin yr un gair, a stompiodd yn ei flaen nes bod y ddau yn sefyll ar y lan yn edrych allan ar y môr.

'Gan 'mod i'n cario'r holl fagiau, ydw i'n iawn i feddwl ein bod ni'n mynd ar daith, meistr?'

'Dywedodd y Ddraig fod Pedwerydd Trysor ar Ddeg Prydain i'w gael, felly rydyn ni'n mynd i chwilio amdano,' meddai'r Dewin.

'Pedwerydd Trysor ar Ddeg …' sibrydodd Colin yn syn. Ysgydwodd ei hun, 'Ond fe ddwedoch chi gwynt teg ar ôl y tŵr a'r trysorau, meistr. Pam fyddech chi eisiau mynd i chwilio am un trysor arall?'

'Mae'r Pedwerydd ar Ddeg yn fwy gwerthfawr na'r gweddill i gyd gyda'i gilydd. Hebddo, bydd y Ddraig yn cael ei distewi a bydd y tir yn marw.'

'Sut hynny?' gofynnodd y Coblyn, a'i geg fel ogof.

'Rhybudd y Ddraig oedd y daw amser pan fydd y moroedd, y tir a'r awyr wedi'u gwenwyno, a bydd y byd i gyd yn cael ei drin fel tomen sbwriel. Mae gan y Pedwerydd Trysor ar Ddeg y gallu i drwsio'r difrod a gwella'r Ddaear.'

Rhythodd y Coblyn ar y Dewin. 'Felly fyddwn ni'n mynd yn bell?'

'Y pellaf i mi deithio erioed,' meddai'r Dewin.

'Waw. Ga i alw hyn yn "gyrch", fel yn yr hen lyfrau? Dim ond ar gyfer fy nyddiadur personol,' eglurodd y Coblyn gan estyn cwilsyn a phapur.

Chymerodd y Dewin ddim sylw ohono a syllu allan i'r môr. Gwyddai enw'r neidr fôr a chyda'i ddwylo'n cwpanu ei geg, galwodd, 'Sarff Fôr!'

Ddigwyddodd dim byd, dim ond y gwynt yn dal i chwipio'r tonnau'n wyn, a gwylanod unig yn galw o bell. Yna plymiodd y Dewin ei ffon yn yr ewyn oedd yn torri ar y traeth, a lledodd cylch o donnau mân dros y môr llwydwyrdd.

Dechreuodd y dŵr ferwi, ac yna, o'r ewyn, cododd pen mawr gwyrdd – pen y Sarff Fôr, yn gyrn ac yn flew i gyd. Yn sownd i hwnnw roedd gwddf hir, pigog a chorff cyhyrog yn llusgo ar ei ôl dan y tonnau. Plygodd y sarff ei phen i gyfeiriad y Dewin.

'Hybarch Sarff Fôr, rydym ar daith i Fryniau'r Garreg Las yn y de, ac mae angen sarff fôr gyflym arnom i'n cludo yno.'

Ymestynnodd y sarff ei gwddf i lawr at y Dewin. 'Clywais lais y Ddraig ym mhell yn y môr mawr, yn gofyn i mi ddod i'ch helpu. Byddwch ar dir sych eto cyn nos.'

Dringodd y Dewin, a'r Coblyn gyda'r bagiau, ar gefn y sarff fôr a chyn pen dim, roedden nhw allan yn y môr mawr, a'r ynys fechan yn diflannu'n ddim y tu ôl iddyn nhw.

Tyfodd y tonnau'n wyllt a garw ond wnaeth hynny ddim arafu'r sarff. Daliai ei phen yn uchel wrth dorri fel cyllell drwy'r ewyn gwyn.

'Trïwch beidio â 'ngwlychu i!' galwodd y Dewin yn flin o gefn y neidr. Bellach, roedden nhw mewn bae

mawr. Roedd awyr y bore'n glir a phwysodd yr hen ŵr a'r Coblyn yn ôl i wylio'r tonnau'n llifo dros groen garw'r sarff.

'Gwrandewch!' meddai Colin gyda hyn. 'Allwch chi glywed y clychau'n canu?' Mae gan bob coblyn glyw rhyfeddol ond roedd y Dewin yn gorfod clustfeinio'n ofalus. Yna, o'r dyfnderoedd oddi tano gallai glywed sŵn tincial clychau ymhell, bell i lawr yn y dyfnderoedd.

'Clychau Cantre'r Gwaelod,' esboniodd y coblyn bach. 'Rydyn ni'n teithio dros ei threfi a'i chaeau.'

'Cae chwarae'r Môrenedig bellach,' meddai'r Dewin, fymryn yn ddiamynedd, 'a dyma nhw'n dod ...'

Gwyliodd Colin a'r Dewin yr haid o bobl y môr yn rasio i fyny tuag atyn nhw o'r dyfnderoedd. Nofiai rhai o'r Môrenedig wrth ochr y sarff fôr, a neidiai eraill i mewn ac allan o'r dŵr o'u blaenau. Edrychai hanner uchaf eu cyrff fel rhai bodau dynol, ond cynffonnau pysgod oedd yr hanner arall. Roedden nhw'n chwerthin yn braf wrth neidio allan o'r tonnau i'r awyr cyn plymio'n ôl i'r dŵr. Ffurfiai enfysau yn yr ewyn. Roedd llawer yn awr yn rasio, yn ceisio curo'r

23

sarff fôr chwim, ond doedd hi'n talu'r un blewyn o sylw iddyn nhw.

'I ble rwyt ti'n mynd, Ddewin Mawr?' gofynnodd un, gyda llais mor addfwyn â chân morfil.

'Meindia dy fusnes!' gwaeddodd y Dewin. Trodd i ffwrdd. 'Does gyda nhw ddim byd gwell i'w wneud na chwarae o gwmpas drwy'r dydd a phoeni pobl,' meddai drwy ei ddannedd.

Chwarddodd y Môrenedig wrth neidio a rasio, a thu ôl i gefn y Dewin, cododd Colin ei law arnyn nhw.

Yn raddol, crwydrodd y Môrenedig i ffwrdd i chwilio am fwy o hwyl a chwarae, ac aeth y sarff a'i theithwyr yn dawel yn eu blaenau. Cymylodd awyr y prynhawn, ac wrth i'r golau llaethog gaeafol bylu, gallai'r Dewin weld siâp tir o'u blaenau.

Cyn hir roedden nhw'n agosáu at draeth llydan. 'I ffwrdd â chi i achub y Ddraig,' gwenodd y sarff fôr, gan ymestyn ei gwddf dros y creigiau fel pont er mwyn i'r Dewin a'r Coblyn gyrraedd y lan.

Heb aros am ddiolch na hwyl fawr, trodd y sarff fôr, suddo dan y dŵr a diflannu.

Cododd y Dewin ei ysgwyddau a chychwyn dros y tywod a'r Coblyn yn baglu y tu ôl iddo gyda'r bagiau.

Gallai'r Dewin deimlo pŵer Bryniau'r Garreg Las yn ei alw.

Roedd hi'n dywyll pan gyrhaeddodd y ddau y llwybr drwy'r coed fyddai'n eu harwain i fyny i'r bryniau. Wedi dwy awr o ddringo'n uwch ac yn uwch mewn tywyllwch oedd bron yn ddudew, daeth y ddau at gerflun rhyfedd. Eisteddai slabyn anferth o garreg ar nifer o bileri pigfain, yn dalach na dyn. Cromlech oedd hon, yn edrych fel bwrdd carreg anferthol. Roedd yn hudol ac yn hynafol, ac o'i blaen, daeth y Dewin i stop.

'Trïa ddala lan, Colin!' cyfarthodd y Dewin. Hwffiodd a phwffiodd y Coblyn a phan gyrhaeddodd at ochr yr hen ŵr, syrthiodd yn glewt o dan y bagiau

a'r bocsys. Roedd yr awyr yn oer ac roedd plu o stêm yn codi o'r coblyn blinedig.

'Meistr, dw i'n gallu teimlo pobman yn clecian gyda phŵer ac mae'n fy ngwneud i dipyn bach yn simsan.'

'Ydy, mae'n gallu gwneud hwnna i goblyn sensitif. Mae'r hud fan hyn wedi cael llonydd a rhyddid ers amser maith. Deimlais i e pan ddes i yma gynta yn blentyn,' meddai'r Dewin yn dawel.

'O?' meddai'r Coblyn yn ofalus, o weld fod y Dewin ar goll yn ei feddyliau. 'A pham ydyn ni yma nawr?'

'Amynedd pia hi,' atebodd y Dewin, a chwerthin mewn ffordd wnaeth i Colin deimlo braidd yn anghyfforddus. 'Bron yna,' meddai wedyn, gan gamu yn ei flaen a'r Coblyn yn baglu ar ei ôl eto.

Wrth i'r ddau gyrraedd crib uchel, agorodd y cymylau i ddangos awyr glir, oer oedd yn drwch o sêr. O'u blaenau safai pedwar ar bymtheg o feini hirion tywyll, wedi'u gosod mewn cylch mawr, a phob un yn dalach na'r Dewin. O graffu'n agosach, gwelon nhw fod y meini yn llyfn a gloyw, a smotiau gwyn yma ac acw yn gwneud iddynt edrych fel darnau o awyr y nos wedi'u plannu yn y ddaear.

Roedd pŵer y Ddraig yn gryf yma, yn fflachio a chlecian o amgylch coesau'r Dewin ac yn cosi bysedd y Coblyn. Cyffyrddodd y Dewin un o'r cerrig. 'Carreg Las,' sibrydodd, a hisiodd golau o amgylch ei law.

'Beth nawr?' gofynnodd Colin yn dawel. Syllai hwnnw'n gegrwth ar y meini a'r bryniau. Ar hyd ei oes hudol, doedd e erioed wedi bod mewn lle oedd yn berwi gan swyn a chyfaredd fel hyn, ac roedd ei ben yn troi.

'Yn awr, rhaid aros,' meddai'r Dewin. Yn agos i'r cerrig, creodd y Dewin dân sydyn ac eisteddodd y ddau i fwyta rhai o'r bisgedi roedd Colin wedi'u pacio. I'r gogledd, disgleiriai golau'r sêr ar y môr roedden nhw wedi'i groesi. Roedd hi'n noson lonydd, oer a hynod dawel. Aeth oriau heibio, ac roedd hi'n dal yn dywyll pan neidiodd y Dewin ar ei draed yn sydyn, gan ddychryn Colin.

'Iawn! Saf yng nghanol y cylch,' meddai'r Dewin, 'a brysia!' Rhuthrodd y Coblyn i gasglu'r bagiau a sefyll yn ufudd yn y canol. Cerddodd y Dewin o amgylch y meini a tharo pob un gyda'i ffon gan wneud iddyn nhw ganu fel clychau. I gyfeiliant y meini yn atseinio, ymunodd y Dewin â'r Coblyn yng nghanol y cylch cerrig.

'Anadl y Ddraig!' galwodd y Dewin, a chododd niwl o'r tywyllwch a dechrau chwyrlïo o amgylch y meini, yn araf i ddechrau, yna'n gyflymach. Y tu draw i ddawns y niwl gallai Colin weld yr awyr yn goleuo tua'r dwyrain.

Tynnodd y Dewin hen awrwydr efydd allan o'i glogyn coch. Roedd wedi'i addurno â gemau gwerthfawr a siapiau dreigiau yn dringo drosto. 'Arwain y ffordd at y Pedwerydd Trysor ar Ddeg!' gorchmynnodd, yna taflodd yr awrwydr i'r awyr, lle diflannodd yn llwyr. Gwelodd Colin belydrau cyntaf haul ganol gaeaf yn taro'r cylch o Gerrig Gleision.

Ffrwydrodd mellt o'r awyr a chwyrlïo a rhuo o amgylch y meini. Edrychodd y Dewin i lawr ar wyneb ofnus Colin. 'Mae'n troi mewn cylchoedd ac yn mynd yn syth yn ei flaen yr un pryd!' gwaeddodd yn lloerig dros y sŵn rhuo.

'Be ... beth? Dyw hwnna ddim yn bosib,' ceciodd Colin.

'Yr Olwyn Amser, wrth gwrs!' gwaeddodd y Dewin, ac yna ffrwydrodd mellten anferthol o'r awyr. Bellach, roedd y cylch yn wag.

~~

Gyda BWWM oedd yn atseinio drwy'r bryniau, ymddangosodd y Dewin a'r Coblyn unwaith eto, o fewn y cylch cerrig.

'Oedd hwnna i fod i ddigwydd?!' gofynnodd Colin, oedd yn teimlo fel petai wedi ffrwydro a'i roi'n ôl at ei gilydd eto. 'A be ddigwyddodd i'r cylch?' O'u hamgylch dim ond tri o'r meini oedd yn dal i sefyll. Roedd y gweddill wedi disgyn ac wedi'u hanner claddu dan lwyni eithin a grug. Roedden nhw'n edrych fel petaen nhw wedi bod yno ers amser maith.

'Wel ... mae hi yn fore'r diwrnod byrraf,' eglurodd y Dewin gan edrych ar y tirwedd o'i amgylch.

'R-e-i-t-i ho,' meddai Colin, gan aros am fwy o fanylion. Roedd golau'r bore bach yn dangos bod eira dros bob man. Doedd yr eira 'na ddim yma gynnau, meddyliodd Colin.

'Dyw'r diwrnod byrraf hwn ddim yr un â'r diwrnod wawriodd eiliadau'n ôl,' meddai'r Dewin gan geisio swnio'n amyneddgar. 'Mae'r diwrnod hwn bedair canrif ar ddeg yn hwyrach na phan oedden ni'n sefyll yn y cylch cerrig – pedair canrif ar ddeg ac ambell funud, i fod yn fanwl gywir.'

'Ry'n ni wedi teithio drwy amser?' Roedd pen Colin yn troi eto.

'Ti'n dechrau 'i deall hi,' meddai'r Dewin. Edrychodd i lawr ar y Coblyn. 'Ddwedais i y bydden ni'n teithio'n bellach nag erioed o'r blaen i ddod o hyd i'r trysor hwn, felly paid ag edrych arna i mor syn.'

'Ond rydyn ni wedi teithio dros fil, pedwar cant o flynyddoedd,' meddai'r Coblyn, oedd yn bendant yn edrych arno'n syn.

'Ac ambell funud … rydyn ni yn oes y peiriannau,' meddai'r Dewin gan droi ei drwyn tua'r awyr. 'Alli di mo'u harogli ar y gwynt? Ac fe alla i deimlo'r Ddraig yn dioddef oherwydd y niwed sy'n cael ei wneud,' meddai'n dawel. 'Dyna pam rydyn ni angen dod o hyd i'r Pedwerydd Trysor ar Ddeg.'

Safai'r Dewin yn yr eira gyda'i glogyn coch yn chwifio yn y gwynt oer, ei gymhorthydd bychan wrth ei ochr, yn gwegian dan bwysau'r bagiau. 'Mae gyda ni daith hir o'n blaenau eto,' meddai o'r diwedd, a thynnodd rolyn o hen fap allan o'i glogyn. Taflodd y rholyn i'r awyr lle dadroliodd hwnnw ohono'i hun a glanio yn nwylo'r Dewin. O'i boced, tynnodd bendil bychan metel oedd yn sownd wrth gadwyn, a'i ddal dros y map.

Roedd Colin ar flaenau ei draed yn gwylio'r pendil yn siglo'n ôl a 'mlaen ac yna'n troelli uwch ben un pwynt penodol ar y map. 'Felly ble ry'n ni'n mynd?' gofynnodd.

'I le sy'n cael ei alw yn Sain Ffagan, ger Caer Didius. Mae'r awrwydr yn dweud wrthon ni i fynd yno,' meddai'r Dewin gan bocedu ei bendil. 'Mae'n bell, ond fe ddylen ni allu teithio heb i bobl yr oes dywyll hon ein gweld ni.'

Tynnodd y Dewin ei law dros ei farf hir yn feddylgar. 'Mae'r tir yn ysu am bŵer iachusol y Pedwerydd Trysor ar Ddeg. Dw i'n credu mai'r ffordd orau i deithio yno ydy drwy garreg!' meddai.

'Drwy garreg?' holodd Colin yn ansicr.

'Ie, dyna un o'r rhesymau dros godi'r meini hirion 'ma yn yr hen amser. Pam wyt ti'n meddwl eu bod nhw dros y lle i gyd?' Astudiodd wyneb Colin, yn synnu bod y Coblyn yn gwybod cyn lleied. Yna trodd yn ôl at y map. 'Dangos y ffordd i Sain Ffagan,' gorchmynnodd, ac ymddangosodd llwybr igam ogam o oleuadau ar y map.

'Mae pob golau ar y map yn faen hir a rhaid i ni deithio o un i'r llall nes cyrraedd pen y daith. Dere, brysia,' meddai'r Dewin wrth i'r map rolio ei hun i fyny'n daclus a hedfan yn ôl o dan glogyn y Dewin. 'Mae'r garreg gynta yn agos iawn.'

I ffwrdd â nhw gan grensian yn eu blaenau drwy'r eira. Cyn hir, roedden nhw mewn pant rhwng y bryniau lle roedd carreg fawr lwyd yn sefyll yn dal ac unig.

'Cydia yn fy nghlogyn i,' meddai'r Dewin, a chydiodd Colin ynddo'n dynn – a nerfus. Cnociodd y Dewin ei ffon yn ysgafn yn erbyn y garreg, 'I'r Dwyrain!' cyhoeddodd, a chydag un PWWFF diflannodd y Dewin a'r Coblyn.

Rai milltiroedd i ffwrdd, ger maen hir arall, ymddangosodd y ddau gyda un PWWFF arall.

'Aw!' gwaeddodd Colin. 'Roedd hwnna'n gwneud dolur!'

'Ie, ges i wybod y byddai'n pigo fymryn,' meddai'r Dewin, 'Dyna pam dw i 'rioed wedi'i wneud e o'r

blaen,' cyfaddefodd. 'Pan wyt ti'n barod fe biciwn ni o fan hyn at y garreg nesa,' meddai, ac yn y dull yma y buon nhw'n teithio drwy'r bore.

Cymerodd y neidio o garreg i garreg fwy o amser na'r disgwyl. Dros y miloedd o flynyddoedd ers iddyn nhw gael eu codi, roedd nifer o'r meini wedi mynd ar goll, felly roedd yn rhaid i'r ddau gymryd llwybr hirach. A chan mai hwn oedd diwrnod byrraf y flwyddyn, erbyn iddyn nhw gyrraedd y maen olaf roedd yr awyr eisoes wedi dechrau tywyllu.

Daethon nhw o hyd i'r garreg olaf mewn cae corsiog uwchben Tai Bythol Ffagan. Syllodd y Dewin yn ei ddillad cochion, a'r Coblyn gyda'i lwyth o fagiau, i lawr ar yr olygfa oddi tanynt – hen adeiladau hardd a chaeau gwyrddion rhwng bob un. Doedden nhw ddim yn gwybod hynny ar y pryd, ond roedden nhw wedi cyrraedd Amgueddfa Werin Cymru ac roedd yn ddarlun perffaith o heddwch. Tywynnai goleuadau cynnes mewn ffenestri bychain ac roedd arogl mwg tanau coed yn llenwi'r awyr.

'Rhaid i ni fod yn ofalus iawn nawr, Colin,' rhybuddiodd y Dewin yn dawel. 'Mae 'na hud yn fan hyn nad ydw i wedi'i deimlo o'r blaen,' meddai gan arwain y ffordd i ganol coedwig o goed ffawydd uchel. Aeth y ddau ar eu cwrcwd wrth fonyn un o'r coed. 'Mae'r awrwydr yn y cwt bach gwyn acw,' meddai'r Dewin gan bwyntio at fwthyn y Bwbach, 'felly dyna lle gawn ni hyd i'r Pedwerydd Trysor ar Ddeg!'

Y tu mewn i gartref y Bwbach roedd Mari a Mam-gu wedi bod yn gwrando'n astud ar straeon y Bwbach am ei ganrifoedd yn byw yn yr hen fwthyn. Roedd wedi'i warchod ers iddo gael ei godi â cherrig cryfion mynyddoedd y gogledd, ac wedi'i rannu gyda chymaint o deuluoedd.

'Bobol bach, mae hi'n hwyr, Mari,' meddai Mam-gu. 'Gwell i ni fynd i weld Ethan.' Felly cododd Mari a Mam-gu er mwyn ffarwelio.

'Wela i chi'n fuan iawn, Mr Bwbach,' meddai Mari ar ei ffordd allan o'r drws, a rhoi cwtsh mawr iddo.

Wedi iddyn nhw adael, eisteddodd y Bwbach yn dawel ar ei hoff stôl wrth y tanllwyth mawr o dân, yn gwenu i'w hunan ac yn teimlo'n ddiolchgar bod ganddo ffrind fel Mari.

Cyn hir, daeth BWM, BWM, BWM ar y drws.

Achosodd y sŵn curo mawr i'r Bwbach ddisgyn oddi ar ei stôl i'r llawr, ac roedd wrthi'n bustachu yn ôl ar ei draed pan agorodd y drws yn araf. Yn sefyll yn ffrâm y drws roedd dyn barfog, blin yr olwg, a gallai'r Bwbach deimlo ton o hud gwyllt ac amrwd yn codi allan ohono. Y tu ôl iddo roedd un coblyn blinedig yn cario llwyth o fagiau.

Gostyngodd y Dewin ei ben er mwyn camu i mewn i'r bwthyn, 'Ha! Bwbach!' meddai. 'Does gen i ddim amser i'w wastraffu, Meistr Bwbach, felly dangoswch i mi Bedwerydd Trysor ar Ddeg Prydain,' gorchmynnodd. Sythodd er mwyn dangos ei fod yn ddyn pwysig, ei het bigfain wedi'i gwasgu yn erbyn y nenfwd.

'Y Pedwerydd Trysor ar Ddeg? ' Doedd gan y Bwbach ddim syniad beth oedd hwnnw, ond ebychodd yn sydyn wrth sylweddoli. 'O! Dywedodd yr awrwydr eich bod chi ar eich ffordd.'

'Do, do, a dw i'n casglu a gwarchod Trysorau Mawr y Tir,' meddai'r hen ddewin gan edrych o amgylch y tŷ yn ddiamynedd, 'a dw i wedi dod i nôl y Pedwerydd Trysor ar Ddeg.'

'Fy mwthyn ydy'r peth pwysicaf yn fy mywyd

i. Plis peidiwch â mynd â fo oddi arna i,' plediodd y Bwbach. 'Mi wnes i ei golli o unwaith o'r blaen.'

'Nid dy fwthyn yw'r Pedwerydd Trysor ar Ddeg, Meistr Bwbach, felly gei di gadw hwnnw. Mae'r awrwydr wedi dod â fi yma i gasglu'r trysor felly mae'n rhaid ei fod e yma yn rhywle ...'

'Meistr,' torrodd Colin ar ei draws yn swil, 'does dim awrwydr yma.'

'Beth!?' ebychodd y Dewin yn ddryslyd. 'Roedd e yma eiliad yn ôl.'

Roedd hyd yn oed y Bwbach wedi'i synnu. 'Roedd o ar y bwrdd ...' a throdd pawb i weld bod dim byd yno.

Estynnodd y Dewin o dan ei glogyn a thynnu allan y map. 'Mae'r trysor yn symud oddi wrthon ni ar gyflymdra rhyfeddol,' meddai, 'ac mae'r awrwydr yn ei ddilyn. Dere, Colin!' Rhuthrodd y Dewin allan o'r bwthyn gyda'r Coblyn wrth ei gwt.

Dilynodd y Bwbach nhw allan i'r gwyll yn bryderus. 'Mae'r amser i fod yn ofalus wedi pasio, Colin,' meddai'r Dewin. 'Gad y bagiau yma, rhaid i ni frysio,' cyhoeddodd gan godi ei ffon i'r awyr. 'Brain, Cigfrain ac Ydfrain!' galwodd, 'Dewch i'n cludo!'

Yn syth bìn hedfanodd heidiau o adar i lawr o'r coed cyfagos a chipio'r Dewin a'r Coblyn yn eu crafangau. I fyny â nhw i ffwrdd o'r Bwbach a'i fwthyn.

Roedd y Bwbach bellach yn amau ei fod yn gwybod beth allai'r Pedwerydd Trysor ar Ddeg fod, ac roedd y syniad yn codi arswyd arno. Roedd Mari mewn perygl a byddai angen help holl greaduriaid hudol Tai Bythol Ffagan. Ar bolyn ffens cyfagos roedd robin goch wedi gwylio pob dim, a galwodd y Bwbach arno, 'Rhaid i ti fynd â neges i holl Dai Ffagan …'

Heb wybod dim am beth oedd newydd ddigwydd ym mwthyn y Bwbach, roedd Mari a Mam-gu ar fin camu i mewn i'r ysbyty i weld Ethan. Pasiodd y ddwy y goeden Nadolig liwgar yn y dderbynfa a gwneud eu ffordd am y lifft fyddai'n mynd â nhw i'r ward, heb sylwi bod haid fawr swnllyd, ddu o adar yn gwibio drwy'r awyr dywyll tuag atyn nhw.

Cerddodd Mari a Mam-gu heibio'r wardiau oedd yn llawn addurniadau a phlant. Roedd y nyrsys i gyd yn adnabod Mam-gu ac yn ei chyfarch yn hapus wrth i Mari a hithau gyrraedd ward Ethan, oedd yn disgleirio gydag addurniadau Nadolig. Roedd chwe gwely yn y ward ac ymwelwyr o amgylch ambell un. Sylwodd Mari ar Ethan a'i wallt coch yn syth. Roedd e'n darllen gwyddoniadur ond rhoddodd e o'r neilltu pan redodd Mari ato. Roedd e'n falch iawn o'i gweld hi, ac er ei fod wedi bod yn sâl, doedd hynny ddim yn dangos ar ei wyneb llawn brychni â gwên fel yr haul. Rhoddodd Mari a Mam-gu gwtsh mawr iddo.

'Ddrwg gen i ein bod ni'n hwyr, Ethan. Aethon ni i weld Bwbach fy ffrind ar y ffordd yma,' meddai Mari'n llawn cyffro.

'Fe ddwedodd e gymaint o straeon hudol, anghofion ni faint o'r gloch oedd hi,' meddai Mam-gu.

'Bydden i wrth fy modd yn cwrdd ag e,' meddai Ethan.

'Awn ni i'w weld e pan fyddi di'n well,' meddai Mari. 'Dyw e ddim yn gallu dod yma achos mae'n rhaid iddo fe edrych ar ôl ei fwthyn,' eglurodd.

Gwnaeth Ethan ei orau i guddio ei siom.

'Dw i mor lwcus eich bod chi wedi dod i 'ngweld i. Does neb wedi dod i weld Carys druan draw fan'co ers iddi ddod yma.'

Trodd Mari i weld merch yn eistedd ar ei phen ei hun wrth ei gwely, yn edrych yn drist. Teimlai Mari yr hoffai roi rhywbeth iddi i wneud iddi deimlo'n well. Yna, cofiodd fod ganddi losin yn y bag ar ei chefn, felly tynnodd e i ffwrdd ac edrych tu mewn.

'Beth yw hwn?' gofynnodd yn ddryslyd, wrth dynnu allan yr hen awrwydr efydd. 'Doedd e ddim yma gynne fach.' Rhoddodd y bag i lawr ar y cwpwrdd bach ger y gwely, ac edrych ynddo eto. Roedd hud yr awrwydr wedi creu bocs o siocledi. 'Waw, doedd hwn ddim yma gynne fach chwaith!' meddai gan ei dynnu allan a brysio i'w roi i Carys.

'I mi?' meddai Carys yn ddiolchgar.

'Ie. Nadolig Llawen,' meddai Mari.

Rhes o ffenestri oedd ar un pen o'r ward, ac wrth i Mari fynd yn ôl at Ethan a Mam-gu, clywodd WHWWSH sydyn. Diflannodd y wal gan adael y ward yn gwbl agored i'r noson dywyll. Roedd y plant, yr ymwelwyr a'r ddwy nyrs yn gegrwth wrth sylweddoli bod yr awyr oer tu allan yn dal i aros yr ochr draw i'r man lle safai'r wal eiliad yn ôl. Syllodd pawb yn hurt wrth i fflach o olau yn y tywyllwch hedfan tuag atyn nhw. Saethodd i mewn i'r ward a syrthio'n bendramwnwgl mewn pelen o olau ar hyd y llawr cyn taro yn erbyn gwely gyda chlec.

'Mr Bwbach!' gwaeddodd Mari, yn rhyfeddu o weld ei ffrind bychan yn gorwedd yn chwil ar y llawr. 'Ddaethoch chi i weld Ethan wedi'r cwbl!' Daliai'r Bwbach ei ddwylo am ei ben wrth i Mari ei helpu ar ei draed. 'Ethan, dyma fy ffrind arbennig iawn!'

Syllodd pawb yn y ward mewn syndod llwyr ar y Bwbach. Roedd nyrs wedi aros wrth ymyl gwely Carys. 'Un o helpwyr bach Siôn Corn yw e?' gofynnodd Carys iddi.

'Mae rhywun pwerus yn dod …' rhybuddiodd y Bwbach yn frysiog gan afael yn llaw Mari.

Cafodd yr olygfa o'r ward ddiffenest ei llenwi gan gwmwl aflonydd o adar swnllyd, a neidiodd y Dewin a'r Coblyn allan ohono. Safodd y Dewin wrth y ffenest yn ei glogyn coch, yn sythu ei het a thynnu plu allan o'i farf. Cuddiodd y Coblyn yn nerfus y tu ôl iddo; doedd e ddim wedi gweld cymaint o bobl ddynol mewn un lle ers talwm iawn.

'Mae'r Dewin wedi dod i chwilio amdanat ti, Mari, felly dw i wedi gofyn i rai o fy ffrindiau ddod i fy helpu i'w rwystro fo,' meddai'r Bwbach.

Cyn i'r Dewin hyd yn oed agor ei geg daeth fflach sydyn, lachar o hud, a tharan ddofn a ysgydwodd yr adeilad.

Wrth i'r taranu dwfn bylu ac i lygaid pawb ddod at eu hunain eto ar ôl y fath fflach o hud, daeth golygfa ryfeddol i'r golwg – roedd holl greaduriaid hudol Tai Bythol Ffagan wedi ymddangos ar y ward. Rhwng pob gwely, ac ar bob bwrdd, safai bwbachod bach a mawr, pwcaod blewog a phwcïod direidus. Hongiai ellyllon bychain mewn dillad llachar o'r llenni rhwng y gwelyau, ac roedd trwynau bwci bos a bwganod corniog i'w gweld yn sbecian allan o dan y gwelyau.

'Siôn Corn!' ebychodd un o'r plant mewn syndod. 'Hud y Nadolig,' sibrydodd un arall. Rhythodd eu rhieni gyda llygaid fel soseri, yn methu credu'r hyn roedden nhw'n ei weld.

Roedd y Dewin a'r Coblyn wedi'u synnu cymaint â neb o weld yr holl greaduriaid hudol o'u cwmpas.

Cyn i'r Dewin gael digon o drefn arno'i hun i holi am y Pedwerydd Trysor ar Ddeg, clywodd lafarganu rhyfedd, yn dawel i ddechrau, ond fe godai'n uwch ac yn uwch.

'Siôn Corn! SIÔN CORN!' gwaeddodd y plant o'u gwelyau, wedi cynhyrfu'n llwyr. Yna daeth plant

47

o wardiau eraill i ymuno yn yr hwyl. Rhythodd y Dewin arnyn nhw'n gegrwth. Roedd eu sylw i gyd arno fe ond doedd ganddo ddim syniad mwnci pam.

Roedd Mari wedi cael ambell brofiad od ac annisgwyl drwy ei chyfeillgarwch gyda'r Bwbach, felly doedd ganddi ddim ofn wynebu'r Dewin.

Estynnodd Mari am law hen a garw'r Dewin. 'Helô Siôn Corn,' meddai. 'Dych chi'n garedig iawn yn dod yma.'

Edrychodd i lawr yn syn ar y ferch fach a gwenodd hithau i fyny'n ôl arno. Roedd e'n ddewin pwerus gydag enw brawychus, a doedd neb erioed wedi'i wynebu gyda'r fath ddewrder. Yna daeth y Bwbach ato, yr un mor ddewr a phenderfynol yr olwg.

'Chewch chi DDIM mynd â'r Pedwerydd Trysor ar Ddeg,' meddai'n gadarn, a gafael yn llaw arall Mari.

Teimlodd y Bwbach bŵer yn dod allan o Mari wnaeth i'w wallt godi ar ei ben, a fflachiodd yr

hud o'u hamgylch. 'O,' meddai'r Dewin wrth iddo sylweddoli'r gwirionedd. 'Y plentyn yw'r Pedwerydd Trysor ar Ddeg.'

Edrychodd Mari ar y Bwbach a'r Dewin, yn poeni dim blewyn. 'Hoffech chi gwrdd â 'nghefnder, Siôn Corn?' gofynnodd yn frwdfrydig. 'Mae Mr Bwbach yn mynd i gwrdd ag e hefyd, ond ydych chi, Mr Bwbach?'

'Ym ...' oedd y cwbl gallodd y Dewin ei ddweud.

Aeth Mari â nhw at Ethan, ac yna arweiniodd y Dewin, y Bwbach a Colin, a haid o rieni, staff a chreaduriaid hudol o bob lliw a llun o amgylch yr ysbyty nes eu bod wedi ymweld â phob plentyn sâl a'u gadael gyda gwên ar eu hwynebau.

Yna aeth Mari â phawb 'nôl at wely Ethan a gafael yn ei law. 'Ddwedes i mai cael bwbach fel ffrind oedd y peth gorau yn y byd,' meddai.

'Ie, dyma'r diwrnod gorau erioed! Diolch am ddod, Siôn Corn,' meddai Ethan.

'Bydd amser ymweld drosto cyn bo hir felly bydd

raid i Mam-gu a fi adael nawr. Ga i ddod i'ch gweld chi yn Sain Ffagan fory, Siôn Corn? Chi yn aros gyda Mr Bwbach, ond dych chi?' gofynnodd Mari gan edrych ar y ddau yn frwdfrydig.

Wedi drysu'n rhacs, trodd y Dewin at y Bwbach wrth ei ochr. 'Ydy, mae'n aros efo fi,' meddai'r Bwbach. 'Ddylen ni fynd adre rŵan, a deud y gwir.'

Rhoddodd Mari gwtsh mawr i'r Bwbach, ac yna un i'r Dewin ac i Colin hefyd. Doedd y Coblyn erioed wedi gweld y Dewin yn gwbl fud o'r blaen, ond yn fwy na hynny, roedd ei ysgwyddau wedi crymu, fel petai e wedi'i drechu gan hud cryfach na'i hud e.

Erbyn hyn roedd fel petai pawb yn yr ysbyty wedi'u gwasgu i ward Ethan. Roedd swynion yn saethu rhwng y gwelyau, a sbarciau hudol yn pingian, clecian a phopian fel tân gwyllt. Yna ymddangosodd pelen o olau lliwgar yng nghanol y ward. Troellodd ac yna tyfu'n golofn ddisglair yn cyrraedd o'r llawr i'r nenfwd. Chwyrlïodd y creaduriaid bach hudol o'i chwmpas, wedi cyffroi'n lân. Un ar ôl y llall, camodd y creaduriaid i mewn i'r corwynt main, llachar, gan foesymgrymu i'r plant cyn diflannu.

'Ta ta, weithwyr bach Siôn Corn!' meddai Carys.

Yn olaf, cafodd y Dewin a Colin eu harwain gan y Bwbach tuag at y golofn o olau oedd yn dal i droelli'n gyflym yng nghanol y ward. Chwarddodd a gwaeddodd y plant yn llawen, 'Ta ta, Siôn Corn!' gwaeddodd pob un. 'Nadolig Llawen!'

Trodd y Dewin yn ddryslyd gan weld yr holl wynebau hapus yn gwenu'n braf arno. 'Nadolig Llawen, bawb!' gwaeddodd y Dewin. Edrychodd Colin i fyny ato a gweld rhywbeth nad oedd erioed wedi'i weld o'r blaen – roedd y Dewin yn gwenu!

Camodd Colin, y Dewin, ac yna'r Bwbach, i mewn i'r golofn liwgar, lachar, a chyda WHWWSH trodd y golau troellog yn belen loyw a saethu i ben agored y ward ac i ffwrdd i ganol tywyllwch y nos. Neidiodd y ffenestri gwydr yn ôl i'w lle ac aeth pawb ar y ward yn berffaith dawel. Edrychodd y plant a'r oedolion ar ei gilydd ac yna ffrwydro'n gôr o glapio a gweiddi swnllyd, llawen.

O fewn eiliadau, trawodd y golofn droellog o hud a lledrith y pridd yn y cae o flaen bwthyn bychan y Bwbach. Syrthiodd creaduriaid hudol Tai Bythol Ffagan allan ohoni. Roedd eu hantur fer ar ben a gwichiodd a gwaeddodd pob un yn hapus, wedi mwynhau pob eiliad o'u hymweliad â'r ysbyty. Roedd pob ofn yn angof wrth i bawb ddiflannu i'r tywyllwch.

Safai'r Dewin yn ngolau oer y lleuad gyda golwg gwbl ddryslyd ar ei wyneb. 'Pwy yw "Siôn Corn"?' gofynnodd. Roedd e'n eitha siŵr nad y fe oedd e, ond roedd yn cael trafferth cofio ei enw ei hun; roedd cymaint o amser wedi pasio ers iddo'i ddefnyddio. 'Beth *yw* fy enw i, Colin?'

'Myrddin Emrys o Foridunum, syr, oedd eich enw pan oeddech yn blentyn – ydych chi'n cofio? Wedyn wrth i chi dyfu'n enwog, roedd Myrddin yn ddigon.'

'Ife nawr? Ie, erbyn i ti sôn, mae hwnna'n canu cloch,' meddai'r Dewin, 'Ond Meistr Bwbach, lle o wellhad oedd fan'na nawr, on'd ife? Dw i erioed wedi gweld y fath ofal a charedigrwydd, ac roedd calon gynnes y ferch 'na'n pefrio allan ohoni.'

'Ie, dyna rodd fawr Mari erioed,' cytunodd y Bwbach.

A hi yw'r Pedwerydd Trysor ar Ddeg,' meddai'r Dewin. 'Dw i'n deall hynny nawr. Mae hi'n drysor mwy na gweddill y trysorau i gyd gyda'i gilydd, ond alla i ddim mynd â hi i'r Tŵr Gwydr i gael ei chuddio rhag y byd!'

'Ond dywedodd y Ddraig y byddai'n cael ei distewi am byth hebddi, a byddai'r tir yn marw,' meddai Colin.

'Dyna pam mae arna i angen atebion,' meddai'r Dewin yn benderfynol. 'Draig,' gwaeddodd yn uchel i'r noson oer, 'mae arna i angen clywed eich llais chi!'

Roedd y Dewin wedi clywed llais y Ddraig droeon, ond doedd e erioed wedi'i gweld chwaith. Ond yn awr, gwelodd gorff anferthol yn dechrau codi allan o'r niwl, ei ffurf droellog a meddal fel mwg yn codi'n dawel fach o'r gwair ac yn chwipio ei hadenydd mawrion yn y tawelwch. Chwipiodd y ffurf ei chynffon fel gwe pry cop a throellodd ei chorff yn yr awyr uwch eu pennau. Trodd pen corniog, niwlog y Ddraig yn ddioglyd i astudio'r tri oedd yn sefyll yn y barrug.

Pan siaradodd, roedd llais y Ddraig fel sibrwd mewn ogof ddofn. 'Cyfarchion, Ddewin,' meddai. 'Fy nghyfarchion cynhesaf hefyd i Meistr Bwbach a'r Coblyn.'

'Ddraig, dw i dros bedair canrif ar ddeg i ffwrdd o fy nghartref, ac wedi dod o hyd i'r Pedwerydd Trysor ar Ddeg yn ôl eich dymuniad, ond dw i'n meddwl bod rhywun wedi gwneud camgymeriad.'

'Doedd dim camgymeriad,' meddai'r Ddraig gan hofran yn yr awyr. 'Rwyt ti wedi cyrraedd cartref y Bwbach yng nghanol Tai Ffagan. Dyma lle roeddet ti i fod.' Cylchodd a chyrliodd y Ddraig yn yr awyr oer. 'A do, fe ddoist o hyd i'r Pedwerydd Trysor ar Ddeg.'

'Felly dylech chi wybod na alla i fynd â hi oddi yma,' mynnodd Myrddin, 'hyd yn oed os yw'n golygu y cewch chi eich tewi a bydd y tir yn marw.'

'Paid â phoeni, Ddewin. Wnes i mo dy yrru yma i fynd â'r Pedwerydd Trysor ar Ddeg oddi yma,' meddai'r Ddraig.

'Felly pam ydw i yma? Fe adawais i'r trysorau eraill yn y Tŵr Gwydr ar fy ynys yn y gogledd dros bedair canrif ar ddeg yn ôl er mwyn chwilio amdano,' meddai'r Dewin yn ddryslyd.

'Dwyt ti'n dal ddim wedi sylweddoli pam rydan ni fan hyn,' chwarddodd y Ddraig. 'Mae Tai Bythol Ffagan wedi'u cludo yma o bob cwr o'r wlad er mwyn trwsio'r hyn gafodd ei falu. Mae amser a lle yn uno fan hyn er mwyn cadw ar gof y pethau fyddai wedi mynd yn angof.'

'Y tai … yn cael eu cludo yma a'u trwsio?' Credai'r Dewin ei fod yn dechrau deall.

'Ac mae pob un, yn ei ffordd ei hun, yn adrodd stori'r tir, sef fy stori i,' eglurodd y Ddraig. 'Mae'r Tŵr Gwydr yma hefyd, Ddewin, er nad oes modd ei weld,' chwarddodd.

'Mae'r Tŵr fan hyn? Mae hwnna'n amhosib. Mae'n bell i ffwrdd ac yn llawn trysorau.'

Chwarddodd y Ddraig. 'Tra oeddet ti'n teithio drwy amser, roedd gen i fil, pedwar cant o flynyddoedd i symud y tŵr a'i drysorau, ac mae wedi bod yn dy ddisgwyl yn amyneddgar fan hyn ers hynny.'

'Felly ble mae e?' gofynnodd y Dewin gan edrych o'i amgylch.

'Ro'n i'n gallu ei guddio rhag pawb – hyd yn oed ti,' atebodd y Ddraig.

Gydag un o'i chrafangau tenau, pwyntiodd y Ddraig at gae. O flaen eu llygaid, dechreuodd y Tŵr Gwydr ymddangos ymysg y coed ffawydd, y gwaelod a'r prif ddrws yn gyntaf, yna ffenest ar ôl ffenest nes bod y tyredau i'w gweld yn uchel uwch ben y coed.

'O'r Tŵr hwn byddi'n cadw llygad ar holl Drysorau Prydain,' eglurodd y Ddraig. 'Mae'r plentyn, Mari, yn un trysor arall. Yn yr oes hon mae 'na gant a mil a mwy o drysorau mwy gwerthfawr na'r tri ar ddeg rwyt ti wedi bod yn eu gwarchod. Wnest ti weld rhai ohonyn nhw yn y man gwella.'

'Y plant...' meddai'r Dewin, wrth iddo sylweddoli'n araf beth oedd gwir bwrpas ei daith.

'Yma yng nghanol Tai Bythol Ffagan mae'r gorffennol yn cael ei ddathlu a'i warchod, Ddewin,' meddai'r Ddraig, 'felly mae'n addas iawn, a hithau'n Nadolig, i mi ofyn i ti warchod y plant, gan mai nhw yw'r dyfodol. Bydd y rhai ifanc yn gwneud pethau mor arbennig, fydd fy llais ddim yn cael ei ddistewi na'r tir yn marw. Dyna pam yrrais i ti yma, i'w gwarchod nhw rhag dy Dŵr Gwydr am byth bythoedd.'

Gwyliodd y Dewin, y Bwbach a'r Coblyn y Ddraig yn troelli'n araf uwch eu pennau am gyfnod cyn iddi chwalu'n wreichion bychain llachar a syrthiodd o'u hamgylch fel plu eira.

Yna dechreuodd fwrw eira o ddifri. 'Felly cysgu yn y Tŵr fyddwn ni eto heno,' meddai'r Coblyn yn fywiog, gan chwalu'r tawelwch. 'Mae hi wedi bod yn ddiwrnod llawn pethau annisgwyl.'

'Fydd neb yn cysgu heno, Colin, mae gyda ni gynlluniau i'w gwneud,' meddai Myrddin yn bendant. 'Nos da i chi, Meistr Bwbach.' Ac yna brysiodd y

Dewin a'r Coblyn i gyfeiriad y Tŵr Gwydr. Arhosodd y Bwbach i fwynhau'r llonyddwch am dipyn, yna cerddodd am ei fwthyn gan feddwl am y diwrnod rhyfedd roedd newydd ei gael.

Gwawriodd y bore canlynol yn farrug llachar, gwyn. Roedd y Bwbach yn ei gartref bychan yn rhoi mwy o goed ar y tân pan glywodd sŵn y tu allan. Oedodd i wrando ac yna neidiodd pan glywodd sŵn taro uchel ar ei ddrws. Wedi'i agor, gwelodd Colin y coblyn yn sefyll yno gyda chasgliad o greaduriaid hudol.

'Cyfarchion y tymor, Meistr Bwbach!' meddai Colin. 'Rwyt ti wedi cael dy wahodd i barti Nadolig!'

Gollyngodd y Bwbach y coed tân a chau'r drws ar ei ôl. Gyda'u cyfaill newydd wrth eu hochr, symudodd y criw rhyfedd i lawr y llwybr; bwcïod a phwcaod, pwcïod, bwganod a bwbachod a bwci bos, a phob un yn clebran a pharablu yn llawn cynnwrf.

Wedi cyrraedd y llain ar sgwâr y pentre, cafodd y Bwbach ei synnu gan yr olygfa o'i flaen. Nofiai goleuadau lliwgar yn yr awyr i gyfeiliant cerddorfa o dylwyth teg yn chwarae drymiau a ffliwtiau a chanu carolau. Ar y gwair, dawnsiai creaduriaid hudol eraill oedd wedi teithio o bell, rhai nad oedd e wedi'u gweld erioed o'r blaen.

Yna gwelodd y Bwbach y criw o fodau dynol, y rhan fwyaf yn blant, wedi ymgasglu o amgylch rhywun oedd yn eistedd ar gadair uchel wedi'i cherfio'n gywrain. Roedd wedi'i haddurno gyda iorwg ac uchelwydd, ac roedd bwbachod a choblynnod prysur, bodlon yn trefnu pawb i sefyll mewn rhes o flaen y gadair.

Aeth y Bwbach yn nes a gweld mai Myrddin oedd y person yn y gadair a'i fod yn plygu i lawr i sgwrsio gydag Ethan, cefnder Mari, yn ei gadair olwyn. Y tu ôl iddo gwenai Mari, Mam-gu a rhieni Ethan.

Gwelodd Mari y Bwbach a rhedeg ato i roi cwtsh mawr iddo. 'Mae pob plentyn o'r ysbyty yma, a'r doctoriaid a'r nyrsys. Mae Ethan yn teimlo'n llawer gwell ers i chi ddod i'w weld e.' Gwenodd y Bwbach a throi i wrando ar sgwrs Myrddin ac Ethan.

'A beth hoffet ti fod pan fyddi di wedi tyfu lan, Ethan?' gofynnodd Myrddin.

'Dw i'n mynd i fod yn ddoctor a chreu pob math o foddion i wella pob math o salwch,' meddai Ethan yn benderfynol. 'Mae'r doctoriaid yn yr ysbyty yn dweud 'mod i'n gofyn cymaint o gwestiynau, bydda i'n gwybod cymaint â nhw cyn bo hir,' chwarddodd.

Gwenodd Myrddin yn llawn edmygedd.

'A beth amdanat ti, Mari? Beth hoffet ti fod?'

'Dw i'n mynd i fod yn wyddonydd hinsawdd,' meddai Mari. Doedd gan Myrddin ddim syniad beth oedd hynny'n ei feddwl ond gwenodd beth bynnag. 'Dw i'n mynd i helpu i lanhau y llygredd a'r sbwriel i gyd,' eglurodd Mari.

'Felly rwyt ti eisiau gwneud y byd yn lle gwell,' meddai Myrddin. 'Wel, mae gen i rywbeth bach i ti ei wisgo tra byddi di'n gwneud hynny, Mari.' Camodd Colin ymlaen gyda chôt wedi'i haddurno'n hyfryd. 'Dyma un o Drysorau Prydain. Côt Padarn Gotgoch, sy'n ffitio person dewr yn berffaith, ond yn llithro oddi ar berson llwfr. Dw i'n gwybod y bydd yn dy ffitio di, Mari.' Gwisgodd hi'r gôt, ac mewn cawod fechan o sêr, newidiodd y gôt ei maint i'w ffitio'n berffaith.

'Diolch o galon!' meddai hi, gan ymestyn ei llewys o'i blaen yn syfrdan.

'Mari,' sibrydodd Myrddin gan ei thynnu'n nes ato, 'nid fi yw Siôn Corn, ti'n gwybod. Dim ond rhyw hen ddewin ydw i, ond mae'n rhaid ei fod e'n fachan arbennig iawn.'

'Ro'n i wedi meddwl nad oedd eich bola chi'n ddigon mawr i chi fod yn Siôn Corn,' meddai Mari yn graff, 'ond rydych chi mor hael a charedig ac yn "fachan arbennig iawn" eich hunan. Dim ond enw yw e, a dw i'n meddwl y bydd y Siôn Corn go iawn yn hapus i chi ei fenthyca.' Gwenodd Myrddin o glust

i glust ar Mari yna trodd at y dorf oedd ar sgwâr y pentre. Cododd ei law a daeth y miwsig i ben.

'Ethan, a phob un ohonoch chi blant hyfryd, ffurfiwch res daclus ac fe gewch chi i gyd anrheg!' cyhoeddodd Myrddin. 'Ond cyn hynny, mae gan y coblyn hynod ffyddlon a hyfryd hwn rywbeth pwysig i'w ddweud.' Pwyntiodd at Colin oedd wedi cochi at ei glustiau.

Cafodd Colin ei godi uwchben y dorf gan bâr o fwganod cryfion. Pesychodd a chlirio'i wddf. 'Ahem! Bore da i ymwelwyr Tai Bythol Ffagan,' meddai'n uchel, 'ac hefyd i'r bobl ryfeddol, arallfydol sy'n byw yma.' Gwaeddodd a chwarddodd y creaduriaid hudol gyda bonllefau brwd. 'Croeso i'r dathliad arbennig hwn! Nid yn unig mae adeilad newydd wedi ymuno â Thai Bythol Ffagan, sef twr gwydr, hudol o ddiwedd y bumed ganrif, fydd yn aml yn anweledig … ond mae hi hefyd yn Nadolig!' Cafwyd bonllefau byddarol eto.

Aeth Colin yn ei flaen dros y twrw. 'Ac ar yr achlysur hynod bwysig hwn, wedi canrifoedd o hel llwch, bydd cinio Nadolig yn cael ei roi gan …' Oedodd Colin yn ddramatig, ac arhosodd pawb, 'Corn Brân Galed o'r Gogledd, y cwpan hud sy'n creu unrhyw

ddiod dan haul.' Clapiodd y dorf yn frwd. 'A Basged Fwyd Gwyddno Hirgoes sy'n troi pryd ar gyfer un yn bryd i gannoedd, a Chostrel a Dysgl Rhygenydd yr Offeiriad, sy'n creu unrhyw fwyd mae rhywun yn ei ddymuno.' Aeth y dorf yn wyllt.

'Ro'n i'n gwybod y byddai'r trysorau yna'n dda at rywbeth, rhyw dro,' meddai Myrddin wrth Mari a'r Bwbach gyda gwên gyfrinachol.

Dechreuodd y plant weiddi, 'Siôn Corn! SIÔN CORN! SIÔN CORN! SIÔN CORN! SIÔN CORN!'

Ac mewn cornel dawel, rhywle ymhell o'r parti, gellid clywed sŵn draig yn chwerthin yn fodlon ei byd.